Der Kleine Bär

von

ELSE HOLMELUND MINARIK

Bilder von MAURICE SENDAK

VERLAG SAUERLÄNDER

Aus dem Amerikanischen übertragen von Franz Caspar
Titel der Originalausgabe *Little Bear* (Harper & Brothers, New York)
9. bis 16. Tausend 1960.
Verlag H. R. Sauerländer & Co. Aarau und Frankfurt am Main

PRINTED IN HOLLAND BY N.V. GRAFISCHE INDUSTRIE HAARLEM

Dieses Buch gehört

....

INHALT

DER KLEINE BÄR

WAS ZIEHT DER KLEINE BÄR AN?

Es ist kalt.

Siehst du den Schnee?

Siehst du, wie es schneit?

Der Kleine Bär sagte: «Mutter Bär,

mir ist so kalt.

Siehst du den Schnee?

Ich möchte etwas anziehen.»

Da machte Mutter Bär etwas

für den Kleinen Bären.

«Hier, Kleiner Bär», sagte sie,

«hier habe ich etwas für meinen kleinen Bären.

Hier ist es.»

«Setz es auf den Kopf.»

«Oh», sagte der Kleine Bär,

«es ist ein Hut.

Hurra! Jetzt ist mir nicht mehr kalt.»

Und der Kleine Bär ging hinaus zum Spielen.

Da steht er wieder, der Kleine Bär.

«Nun», sagte Mutter Bär,

«was fehlt dir noch?»

«Mir ist so kalt», sagte der Kleine Bär,

«ich möchte etwas anziehen.»

Und so machte Mutter Bär etwas

für den Kleinen Bären.

«Hier, Kleiner Bär», sagte sie,

«hier habe ich etwas,

etwas für meinen kleinen Bären.

Zieh es an.»

«Oh! Eine Jacke!» sagte der Kleine Bär.

«Hurra! Jetzt ist mir nicht mehr kalt.»

Der Kleine Bär zog die Jacke an

und ging hinaus zum Spielen.

Da steht er wieder, der Kleine Bär.

«Nun», sagte Mutter Bär,

«was fehlt dir noch?»

«Mir ist so kalt», sagte der Kleine Bär,

«ich möchte etwas anziehen.»

Da machte Mutter Bär wieder etwas

für den Kleinen Bären.

«Hier, Kleiner Bär», sagte sie,

«hier habe ich etwas,

etwas für meinen kleinen Bären.

Nun ist dir gewiss nicht mehr kalt.

Zieh es an.»

«Oh, eine Hose», sagte der Kleine Bär.

«Hurra! Nun ist mir nicht mehr kalt.»

Der Kleine Bär zog die Hosen an

und ging wieder spielen.

Da steht er wieder, der Kleine Bär.

«Nun», sagte Mutter Bär,

«was willst du wohl jetzt haben?»

«Mir ist so kalt», sagte der Kleine Bär,

«ich möchte etwas anziehen.»

«Mein kleiner Bär», sagte Mutter Bär,

«du hast einen Hut,

du hast eine Jacke,

du hast lange Hosen. Willst du

wohl lieber einen Pelz haben?»

«Ja», sagte der Kleine Bär,
«ich möchte einen Pelz haben.»

Mutter Bär nahm ihm den Hut ab
und zog ihm die Jacke aus
und zog ihm die langen Hosen aus.

«Siehst du», sagte Mutter Bär,
«nun hast du einen Pelz.»

«Hurra!» rief der Kleine Bär,
«das ist mein Pelz.
Nun ist mir nicht mehr kalt.»

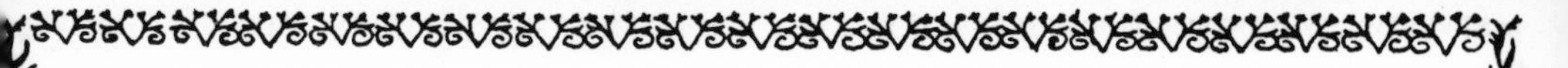

Und dem Kleinen Bären war nicht mehr kalt.

Was sagst wohl du dazu?

DIE GEBURTSTAGS-SUPPE

«Mutter Bär!

Mutter Bär!

Wo bist du?» rief der Kleine Bär.

«O weh, Mutter Bär ist fort,

und heute ist mein Geburtstag!

Heute kommen meine Freunde zu Besuch,

und ich habe keinen Geburtstagskuchen.

O weh! Kein Geburtstagskuchen.

Was kann ich machen?

Der Topf ist auf dem Feuer.

Das Wasser im Topf ist heiss.

Ich will etwas ins Wasser tun

und eine Geburtstagssuppe machen.

Alle meine Freunde essen gerne Suppe.

Was ist wohl alles in der Küche?

Wir haben Rüben und Kartoffeln,

Erbsen und Tomaten.

Ich kann eine feine Suppe machen mit Rüben,

Kartoffeln, Erbsen und Tomaten.»

Der Kleine Bär begann die Suppe zu kochen

in dem grossen schwarzen Topf.

Da kam als erste Frau Henne herein.

«Viel Glück zum Geburtstag, Kleiner Bär»,

sagte sie.

«Danke, Frau Henne», sagte der Kleine Bär.

«Mmmm», sagte die Henne. «Hier riecht es gut!
Was ist in dem grossen schwarzen Topf?»
«Weisst du», sagte der Kleine Bär,
«ich mache eine Geburtstagssuppe.
Willst du auch mitessen?»

«O ja, sehr gern», sagte die Henne.
Und sie setzte sich auf einen Stuhl.

Nach einer Weile kam die Ente herein.

«Viel Glück zum Geburtstag, Kleiner Bär»,

sagte die Ente.

«Mmmm! Hier riecht es gut.

Hast du etwas in dem grossen schwarzen Topf?»

«Danke, Frau Ente», sagte der Kleine Bär.
«Ja, ich mache Geburtstagssuppe.
Möchtest du hier bleiben und mitessen?»

«O ja, sehr gern», sagte die Ente.
Und sie setzte sich auf einen Stuhl.

Nach einer Weile kam der Kater herein.

«Viel Glück zum Geburtstag, Kleiner Bär»,

sagte der Kater.

«Vielen Dank, Herr Kater», sagte der Kleine Bär.
«Ich hoffe, du magst Geburtstagssuppe.
Ich mache eben eine Geburtstagssuppe.»

Der Kater sagte: «Kannst du denn kochen?
Wenn du wirklich kochen kannst,
dann esse ich gerne mit.»

«Gut», sagte der Kleine Bär.
«Die Geburtstagssuppe ist warm,
wir müssen sie jetzt essen.
Wir können nicht auf Mutter Bär warten.
Ich weiss nicht, wo sie ist.»

«Hier ist deine Suppe, Frau Henne»,

sagte der Kleine Bär.

«Und hier ist deine Suppe, Frau Ente,

und hier ist deine Suppe, Herr Kater,

und hier ist die Suppe für mich.

Nun wollen wir alle

die Geburtstagssuppe essen.»

Da sah der Kater an der Tür die Mutter Bär.

Der Kater sagte: «Warte, Kleiner Bär,

warte, iss noch nicht.

Mach die Augen zu und zähle:

Eins - zwei - drei.»

Der Kleine Bär machte die Augen zu
und zählte: «Eins - zwei - drei.»
Da kam die Mutter Bär herein
mit einem grossen Kuchen.
«Nun schau!» sagte der Kater.

«Oh, Mutter Bär», sagte der Kleine Bär,
«so ein grosser, schöner Geburtstagskuchen!
Geburtstagssuppe ist auch gut,
aber Geburtstagskuchen ist noch besser.
Du hast es also nicht vergessen!»

«Viel Glück zum Geburtstag, Kleiner Bär!»
sagte die Mutter Bär.
«Der Geburtstagskuchen ist
meine Überraschung für dich.
Ich habe immer an deinen Geburtstag gedacht,
und ich werde ihn auch nie vergessen.»

DER KLEINE BÄR FLIEGT ZUM MOND

«Ich habe einen neuen Fliegerhelm.

Ich fliege los zum Mond»,

sagte der Kleine Bär zu Mutter Bär.

«Was tust du?» fragte Mutter Bär.

«Ich will zum Mond hinauffliegen»,
sagte der Kleine Bär.
«Fliegen?» sagte Mutter Bär.
«Du kannst nicht fliegen.»

«Vögel fliegen doch auch»,
sagte der Kleine Bär.
«O ja», sagte Mutter Bär. «Vögel fliegen,
aber sie fliegen nicht bis zum Mond.
Und du bist kein Vogel.»

«Vielleicht fliegen manche Vögel
doch bis zum Mond, wer weiss?

Und vielleicht kann ich fliegen

wie ein Vogel», sagte der Kleine Bär.

«Nur vielleicht», sagte Mutter Bär.

«Du bist ein kleiner dicker Bär

und hast keine Flügel und keine Federn.

Vielleicht plumpst du recht schnell
wieder herunter, wenn du losfliegst.»

«Vielleicht», sagte der Kleine Bär.
«Aber jetzt muss ich gehen.
Wenn du mich suchst,
so bin ich dort oben am Himmel.»
«Komm dann heim zum Mittagessen»,
sagte Mutter Bär.

Der Kleine Bär dachte:

Ich will irgendwo hinaufklettern,

und dann mache ich einen Sprung

hoch hinauf in den Himmel,

und fliege weit, weit, weit.

So schnell fliege ich dann,

dass ich nichts mehr sehen kann.

Darum mache ich die Augen zu.

Der Kleine Bär kletterte auf einen Hügel,

und auf dem Hügel kletterte er auf einen Baum,

und oben auf dem kleinen Baum

machte er die Augen zu und sprang los.

Plumms! fiel er auf den Boden

und rollte den ganzen Hügel hinunter.

Dann setzte er sich auf und schaute umher.

«So, so», sagte er.

«Jetzt bin ich also auf dem Mond.

Der Mond sieht ja gerade wie die Erde aus.

Schön, schön», sagte der Kleine Bär.

«Die Bäume hier sehen aus wie unsere Bäume.

Und die Vögel sehen aus wie unsere Vögel.»

«Und sieh einmal das da», sagte er.

«Da ist ja ein Haus, das sieht genau so aus wie mein Haus. Ich will einmal nachsehen, was für Bären wohl hier wohnen.»

«Und sieh einmal da», sagte der Kleine Bär.

«Da ist etwas zu essen auf dem Tisch.

Gerade ein gutes Mittagessen

für einen kleinen Bären.»

Da kam die Mutter Bär herein und sagte:

«Aber wer ist denn das?

Bist du ein Bär von der Erde?»

«Ja, das bin ich», sagte der Kleine Bär.

«Ich bin auf einen kleinen Hügel geklettert

und bin von einem Baum gesprungen

und bin hierhergeflogen, genau wie ein Vogel.»

«Schön», sagte Mutter Bär.

«Mein kleiner Bär hat genau das gleiche getan.

Er hat den Fliegerhelm aufgesetzt

und ist zur Erde geflogen.

Komm, iss du sein Mittagessen.»

Da schlang der Kleine Bär seine Arme
um Mutter Bär.
Er sagte: «Mutter Bär, hör auf zu narren.
Du bist meine Mutter Bär,
und ich bin dein Kleiner Bär,
und wir sind auf der Erde, das weisst du genau.
Kann ich jetzt mein Mittagessen haben?»

«Ja», sagte Mutter Bär,
«und dann machst du dein Mittagschläfchen.
Denn du bist mein Kleiner Bär,
das weiss ich.»

WAS DER KLEINE BÄR SICH WÜNSCHT

«Kleiner Bär!» sagte Mutter Bär.

«Ja, Mutter?» sagte der Kleine Bär.

«Schläfst du noch nicht?» sagte Mutter Bär.

«Nein, Mutter», sagte der Kleine Bär.

«Ich kann nicht schlafen.»

«Warum nicht?» sagte Mutter Bär.

«Ich bin am Wünschen», sagte der Kleine Bär.

«Was willst du dir denn wünschen?»

sagte Mutter Bär.

«Ich möchte auf einer Wolke sitzen

und überall herumfliegen»,

sagte der Kleine Bär.

«Das kannst du nicht wünschen,

mein Kleiner Bär», sagte Mutter Bär.

«Dann wünsche ich, daß ein Meerschiff kommt»,

sagte der Kleine Bär.

«Und die Leute auf dem Schiff sagen:

‚Komm herauf, komm herauf! Wir fahren los!

Komm mit! Komm mit!‘»

«Das kannst du dir nicht wünschen,

mein Kleiner Bär», sagte Mutter Bär.

«Dann möchte ich einen Tunnel finden,
der bis nach China geht», sagte der Kleine Bär.
«Dann würde ich für dich nach China laufen
und Ess-Stäbchen nach Hause bringen.»
«Das kannst du nicht wünschen,
mein Kleiner Bär», sagte Mutter Bär.

«Dann wünsche ich ein grosses rotes Auto»,
sagte der Kleine Bär.
«Ich würde schnell, schnell davonfahren,
und ich käme zu einem grossen Schloss.

Und eine Prinzessin käme heraus

und würde sagen:

‚Willst du ein Stück Kuchen haben,

Kleiner Bär?‘

Und ich würde ein Stück Kuchen essen.»

«Das kannst du dir nicht wünschen,
mein Kleiner Bär», sagte Mutter Bär.
Da sagte der Kleine Bär:
«Dann wünsche ich, dass eine Mutter Bär
zu mir kommt und sagt:
‚Soll ich dir eine Geschichte erzählen?'»
«Gut», sagte Mutter Bär,
«das kannst du dir wünschen.
Das ist ein kleiner Wunsch.»
«Danke, Mutter», sagte der Kleine Bär,
«das wünsche ich mir schon so lange.»
«Was für eine Geschichte
möchtest du hören?» sagte Mutter Bär.
«Erzähl mir etwas von mir»,
sagte der Kleine Bär.

«Erzähl mir, was ich früher alles
gemacht habe.»
«Gut», sagte Mutter Bär,
«einmal hast du im Schnee gespielt,
und du wolltest etwas haben zum Anziehen.»
«O ja, das war lustig»,
sagte der Kleine Bär.

«Erzähl mir noch etwas von mir.»

«Gut», sagte Mutter Bär,

«einmal hast du einen Fliegerhelm aufgesetzt

und hast Mondfahren gespielt.»

«Das war auch lustig»,

sagte der Kleine Bär.

«Erzähl mir noch mehr von mir.»

«Gut», sagte Mutter Bär,

«einmal hast du gemeint,

du bekommest keinen Geburtstagskuchen,

da hast du eine Geburtstagssuppe gemacht.»

«Oh, das war lustig», sagte der Kleine Bär,

«und dann bist du mit dem Kuchen gekommen.

Du tust immer etwas Liebes für mich.»

«Und jetzt», sagte Mutter Bär,

«kannst du auch etwas Liebes für mich tun.»

«Was denn?» sagte der Kleine Bär.

«Du kannst jetzt schön schlafen»,

sagte Mutter Bär.

«Also gut, dann schlafe ich»,

sagte der Kleine Bär.

«Gute Nacht, liebe Mutter.»

«Gute Nacht, mein Kleiner Bär.

Schlaf gut.»